（一）
告别故乡月

西风脱去森林夏装鸟儿飞往他乡

九月。

乌云蔽空，森林一天比一天阴郁了；风开始频繁地呜呜啸叫。秋季的第一个月，一步步向我们走近。

春天有春天的工作，秋天也有秋天的工作。不过秋天的工作跟春天的工作恰恰相反。秋天的工作从空中开始。树冠顶端的颜色逐渐发生变化，起先是变黄，接着是变红，再接着是变成褐色，而后变成深褐色。它们不能从阴郁的太阳那里得到充足的光照，就日甚一日地枯萎了，很快丧失了葱绿的色彩。树枝上长出叶柄的那个地方，会出现一个衰老的晕圈。在无风的平静日子

森林报

秋冬

[苏]比安基◎著 韦苇◎译

© 中南博集天卷文化传媒有限公司。本书版权受法律保护。未经权利人许可，任何人不得以任何方式使用本书包括正文、插图、封面、版式等任何部分内容，违者将受到法律制裁。

图书在版编目（CIP）数据

森林报：全 2 册 /（苏）比安基著；韦苇译．
长沙：湖南文艺出版社，2024.8. -- ISBN 978-7-5726-1980-9
Ⅰ．S7-49
中国国家版本馆 CIP 数据核字第 2024GB1222 号

上架建议：畅销·儿童文学

SENLIN BAO：QUAN 2 CE

森林报：全 2 册

著　　者：[苏]比安基
译　　者：韦　苇
出 版 人：陈新文
责任编辑：吕苗莉
监　　制：李　炜　张苗苗　文赛峰
策划编辑：马　瑄　尤　璐
特约编辑：李婧雪
营销编辑：付　佳　杨　朔
装帧设计：马俊嬴
版式排版：金锋工作室
出　　版：湖南文艺出版社
　　　　　（长沙市雨花区东二环一段 508 号　邮编：410014)
网　　址：www.hnwy.net
印　　刷：河北鹏润印刷有限公司
经　　销：新华书店
开　　本：875 mm×1230 mm　1/32
字　　数：100 千字
印　　张：6.5
插　　页：4
版　　次：2024 年 8 月第 1 版
印　　次：2024 年 8 月第 1 次印刷
书　　号：ISBN 978-7-5726-1980-9
定　　价：29.80 元（全 2 册）

若有质量问题，请致电质量监督电话：010-59096394
团购电话：010-59320018

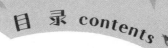

目 录 contents

秋 /1

(一) 告别故乡月 /2
西风脱去森林夏装鸟儿飞往他乡
林中要闻 /5
森林里发来的第一封电报 / 祝你们一路平安
它们等待着帮手 / 森林里发来的第二封电报
城市新闻 /11
森林里发来的第三封电报 / 把自己藏起来
追踪报道 /14
候鸟纷纷飞往越冬地：从天上看秋天
八方呼叫 /16
注意！注意！这里是《森林报》！ / 喂！喂！这里是乌拉尔原始森林！
喂！喂！这里是乌克兰草原！ / 喂！喂！这里是沙漠！
喂！喂！这里是雅玛尔半岛苔原！ / 喂！喂！这里是大海洋！

(二) 储备冬粮月 /27
林中动物为越冬加紧充实粮食库藏 / 准备过冬
植物过冬 / 活的储藏室

林中要闻 / 33

夏日又重来？／女妖的魔扫帚

城市新闻 / 36

动物园准备过冬／没有螺旋桨的飞机

鳗鱼的最后一次旅行

（三）冬客临门月 / 40

森林在梦乡里听到了冬的前奏曲

林中要闻 / 42

飞花／北方飞来的鸟儿

东方飞来的鸟儿／你去问问熊吧

啄木鸟的打铁场

乡村消息 / 48

我们的主意比它们多

冬 / 49

（一）银路初现月 / 50

森林开始熬冬，动植物开始越冬／冬天的书

谁怎么读／谁用什么写

狼的狡智 / 树木越冬记

林中要闻 / 58

骇人的脚印 / 雪怎么爆了呢

城市新闻 / 63

国外消息

八方呼叫 / 64

注意！注意！这里是《森林报》！ / 喂！喂！这里是北冰洋极北群岛！
喂！喂！这里是顿涅茨克草原！ / 喂！喂！这里是新西伯利亚大森林！
喂！喂！这里是卡拉库姆沙漠！ / 喂！喂！这里是峰峦起伏的高加索！
喂！喂！这里是黑海！

（二）饥饿难耐月 / 74

隆冬森林里有一个顽强的生命舞台

林中要闻 / 76

冷啊，真冷！ / 肚子饱，不怕冷

芽在哪里过冬 / 熊找到了最适合过冬的地方

野鼠搬出了森林

（三）忍受残冬月 / 82

饥禽饿兽熬出残冬迎来温饱的春天

林中要闻 / 84

它们丧生在严寒中 / 等不及了

在冰盖下 / 春天来临的征兆

城市新闻 / 89

飞回故乡 / 第一声歌唱

里，树枝上的树叶也会一片接一片地飘落。黄色的白桦树叶忽然从这儿落下，红色的山杨树叶忽然从那儿落下，叶子在空中轻盈地摇晃着飘荡、飘荡，随后无声地顺着地面滑动，最后落定。

清早醒来的时候，你头一次看到青草上有白霜，于是，你在日志上写道："秋天开始了。"在这落秋霜的夜间，秋天就算真的开始了。每年的头一次下霜，总是在黎明前。

从枝头飘落的枯叶越来越多了，直到最后，刮起了西风，那是专摘树叶的风——把森林华丽的夏装吹卷了去。

空中失去了雨燕的身影。家燕和在我们这一带度夏的其他候鸟，都飞聚拢来，集合成群，夜间悄无声息地陆续出发，飞上了遥远的旅程。空中穿梭的飞鸟一天少似一天，就显得天空一天比一天空旷了。

水越来越凉，人愈来愈不想到河里去洗澡了……

然而不经意间，突然，似乎专为纪念那火热的夏季似的，天气又回暖了。一连几天干爽无风，艳阳朗照。

一根根长长的细柔的蛛丝在宁静的空中飘飞，频频闪晃银光……田野间，清新的绿意，欢快地闪着鲜丽的光泽。

"夏天还舍不得走哩！"村里人边笑吟吟地说着，边欣慰地观望着显出蓬勃生机的秋播作物。

森林居民忙着做漫长冬季来临前的准备。寄托着森林希望的生命，都妥妥帖帖地藏好了地方，它们知道，现在一切对新生命的关怀都中止了——这种对生命的关怀，要到明年春天才会再有。

只有一只兔妈妈怎么也安不下心来。它们还不愿意夏天过去，所以又生下秋兔来！这秋兔也叫"落叶兔"。

这时长出来的蜜环菌，柄儿很长。

夏季过去了。

候鸟离开它们出生地的日子不远了。

又像春天一样，森林里给我们编辑部拍来了一封封的电报：时时有新闻，天天有大事。又像候鸟回乡时那样，鸟儿开始大搬家——所不同的是，这一回是从北边往南边搬。

秋天就这样开始了。

森林里发来的第一封电报

不知不觉间,那些身着五色缤纷彩服的鸣禽都看不见了。我们没有看见它们出发的情景,因为它们多半是在半夜里飞走的。

许多禽鸟出发的时间都在夜深时分,这样虽然辛苦些,却安全些。要知道,游隼啊,老鹰啊,以及其他许许多多猛禽,白天都在半路上拦截候鸟!而黑夜里,这些猛禽是不会去袭击候鸟们的。在猛禽看不见东西的夜里,候鸟们却能清楚地辨别航路。

在飞越大海的路途上,一群群水鸟出现了,是野鸭、潜鸭、大雁、鹬鸟等等。这些"羽翼旅行家"在春天歇过脚的地方停下来歇脚。

森林里的树叶在一天天变黄。兔妈妈又生了6只小兔崽。这是今年最后一窝小兔子了,我们叫它们为"落叶兔"。

在海湾沿岸的泥地上,不知是谁,每天夜里都来泥地上印上一串小竹叶和小圆点。这些小竹叶和小圆点遍布淤泥表层。我们在这小海湾的岸上,搭了一个小棚子,想暗中观察是谁在那儿撒欢。

(本报特约通讯员)

祝你们一路平安

每一天,每一晚,都有一批"羽翼旅行家"振翅上路。它们不慌不忙地飞着,不发出一点声音,飞飞又停停,停停又飞飞,这样子跟春天飞来那会儿可很不一样啊。

一望而知,它们是很不愿意离开自己的出生地呢。

飞走的次序,同飞来时恰好相反:羽毛鲜艳夺目的鸟先起飞,春天最先飞来的苍头燕雀、云雀、鸥鸟最后飞走。有许多鸟则是年轻的先飞。燕雀是母的比公的先飞,那些健壮有力的、更能吃苦耐劳的鸟,在故乡耽延得会久些。

大多数鸟是直接向南方飞——飞往法国、意大利、西班牙,飞往地中海、非洲。

有些鸟则向东方飞,经过乌拉尔,经过西伯利亚,飞往印度去。

有的甚至飞到美国去。几千公里的路程,在它们的脚下一闪而过。

它们等待着帮手

高大的树木和矮小的树木,都在这时忙着安顿自己的后代。

从槭树的树枝上挂下来一双双的翅果。翅果已经裂开,在那里等待秋风来把它们吹落、传播开去。

草们在等待秋风：在形似飞帘的长茎上，从干燥的头状花里，露出了一串串华丽的、蚕丝般的灰色茸毛。香蒲的茎长得比沼泽地带的草还要高，它的梢头穿上了褐色的小皮袄；山柳菊毛茸茸的小球也已经做好准备，期待在晴朗的日子里被风带向四面八方。

  还有许多草，小果实上生满茸毛，有的长，有的短，有普通的，也有羽状的。

  收过庄稼的地里和路旁、沟旁的植物，它们等待的不是风，而是四条腿的动物和两条腿的人。这些植物当中，有牛蒡，它那带刺的干燥花盘里，盛满了有棱角的种子；有金盏花，它的黑果实是三角形的，最爱钩挂在行人的袜子上；有带钩刺的猪殃殃，它的小圆果实，喜欢死死钩住人的衣衫，只有用一小块毛绒布来揩，才能把它擦掉。

（尼・帕甫洛娃）

森林里发来的第二封电报

我们想通过暗访弄明白,究竟是什么动物,在海湾沿岸的泥地上踏出了一串串竹叶形的脚印和一个个的小圆点。

原来竟是鹬鸟。

满是淤泥的小海湾,是鹬鸟的好饭馆。它们落脚在这里,既可以休闲,又可以找食物充饥。在这柔软的淤泥地上,它们大踏步地走着,来来去去,自由自在,于是就留下了一长串一长串的竹叶形趾痕。它们把嘴往淤泥里插去,从里面拽出小虫子来当早点。只要是长嘴插过的地方,就都留下了一个小圆点。

我们捉到一只鹳。它在我们家屋顶上住了整整一个夏天。我们在它的脚上套了一个很轻的铝制金属环。环上刻着一行字:Moskwa, Ornitology Komitet, A, No.195.(莫斯科,鸟类学研究委员会,A组第195号。)随后我们把这只鹳放掉,让它带着脚环飞走。如果有人在它过冬的地方捉住它,我们就可以从报上知道:我们整个地

森林报

区的鹳,都到了什么地方越冬去了。

　　森林里的树叶已经全部变了颜色,开始脱落。

(本报特约通讯员)

森林里发来的第三封电报

寒冷的早霜袭向大地。

矮树林中,有的树好像遭了刀削斧砍,叶子似雨点般纷纷飘落。

蝴蝶、苍蝇和各种甲虫,都各自寻找地方去躲藏起来了。

候鸟中的鸣禽匆匆飞过一片片丛林。它们的肚子已经饿了,忙着要飞去找寻食物充饥。

只有鸫鸟不抱怨食物缺少。它们成群结队,向一串串熟透了的花楸果飞扑而去。

寒风在森林的秃枝间呼啸。树木都沉沉地睡了。

森林里再也听不到鸟儿的歌声了。

(本报特约通讯员)

森林报

把自己藏起来

天一日日地变冷了,冷了!

美丽的夏季过去了……

血液都差不多要冻起来了,动作也变得不很灵活了,老犯困呢。

尾巴长长的蝾螈在池塘里住了一夏,一次也没浮上水面来。而现在,它却爬上岸来,慢慢爬到树林里去了。在那里,它找到一个腐烂的树墩,就穿过树皮,钻到树墩下面,蜷缩成一团,准备在里头过冬。

青蛙则相反:它们从岸上跳进池塘,沉到池塘底下,钻到淤泥深处。蛇和蜥蜴躲到树根底下,把身子埋在暖和的苔藓里。鱼成群成群地挤到河床上,在那里找个深坑潜进去。

蝴蝶、苍蝇、蚊子、甲虫什么的,都钻到树皮和墙壁的裂口和缝隙间藏起来了。蚂蚁堵上所有进出的门户,包括高层的全部出入口。它们爬到住宅的最深处,在那里紧紧挤在一起,挨成一团,就这样僵在那里,一动不动,开始了它们的冬眠。

饥饿难耐的时候到了。饿得不好受啊!

热血动物,比如说禽鸟和野兽,它们倒不太怕冷。只要有东西吃进肚子里去,体内就会像生起炉子一样热乎。可是,随着冬天的来临,能吃到的东西越来越少——饥饿,伴随寒冷到来了。

蝙蝠是靠吃蝴蝶、苍蝇和蚊子这些东西过活的,然而随着冬天的到来,蝙蝠吃不到它们了。于是,蝙蝠也只好躲起来,躲进了树洞、石穴岩缝和阁楼的屋顶下,用后脚抓住一样东西,把自己倒挂在那里。它们拿翅膀裹住自己的身体,就好像给自己严严地裹了一件斗篷,就这样头冲下,睡了。

青蛙、癞蛤蟆、蜥蜴、蛇、蜗牛都躲起来了。刺猬躲在树根下的草窝里。

獾也缩在洞里,不出来了。

森林报

候鸟纷纷飞往越冬地：从天上看秋天

从天上俯瞰我们这广袤的国土，往往是人们的一种心愿。

秋天，乘气球升到空中，升到比高高矗立的森林还要高，比浮动的白云还要高——离地面大约30公里吧——的地方。就是升到那么高，也看不见我们国土的疆界。但是，只要天气晴朗，没有云彩遮蔽大地，视野就会非常开阔。

从那么高的地方往下俯望，会觉得我们的大地整个儿在移动：有什么东西在森林、草原、山峦和海洋的上面移动……

这是鸟。这是鸟群，无数的鸟群。

我们这里的鸟正离开故乡，一批又一批地动身，往越冬地飞去。

当然，也有些鸟留下来，像麻雀、鸽子、寒鸦、灰雀、黄雀、山雀、啄木鸟，以及其他一些小鸟，它们都不飞走。还有大个儿的苍鹰和猫头鹰。但就是苍鹰和猫头鹰这样的猛禽，冬天在我们这里也没有多少事可干，因为它们要捕食的鸟儿，大多已经离开我们这里了。候鸟从夏季末尾就开始起身，最先飞走的是春天最后飞来的那一批。候鸟陆陆续续地飞去，直到河水结冰为止。最后离开我们的，是春天最先飞来的那一批，譬如白嘴鸦呀，云雀呀，椋鸟呀，野鸭呀，鸥鸟呀，等等……

森林报

注意!注意!这里是《森林报》!

《森林报》编辑部向你们呼叫。

今天是秋分,是白天和夜晚一样长的日子。我们通过无线电与天南海北进行联系。

苔原和沙漠、森林和草原、海洋和山峦,都请注意啦!

请你们讲讲,现在,秋天,你们那里都在发生些什么?

◇◇◇◇◇◇◇◇◇◇◇◇◇◇◇◇◇◇◇◇◇◇◇◇◇◇◇◇◇◇

喂!喂!这里是乌拉尔原始森林!

我们这里这些日子正忙着迎迎送送:对走的客人

秋

要送,对来的客人要迎。

我们在迎接从北方,从苔原到我们这里来的鸣禽、野鸭和大雁。它们是路过我们这儿,只是歇歇脚,所以停留的时间都不长。今天飞来一群,吃了些东西,明天你再去看,它们已经不在了,它们半夜里就从容上路,又继续往前飞了。

我们正欢送到这里来度夏的候鸟。秋天一到,它们中的大部分就开始了秋日的远行,它们飞向温暖,飞向越冬地。

秋风横扫着白桦树、花楸树,扯下了它们发黄、发红的叶子。

落叶松一片金黄,夏日里柔软的针叶,如今都变得粗糙了。每到晚上,就有一些笨重的,两边翘着胡子的公松鸡,飞到落叶松的树枝上来。它们浑身黑黝黝的,蹲在色调柔和的金黄色的针叶间,啄食松子来填满它们的嗉囊。

花尾榛鸡在黑森森的云杉林里尖声叫唤。

这里出现了许多红胸的公红腹灰雀和淡灰色的母

森林报

红腹灰雀、深红色的松雀、头脸通红的白腰朱顶雀、角百灵。这些鸟是从北方飞来的，它们觉得这里很好，就留下来，在我们这里过冬，不再继续南翔了。

田原空旷了。

细长细长的蛛丝被勉强能觉察出来的微风吹动着，在田原上空，在晴朗的白天，灵巧地飘飞。

这里，那里，最后一批三色堇还盛开着。卫矛伸展着桃叶形的叶片，枝头悬着无数漂亮的小果子，就像中国的小红灯笼正挂在矮树枝头一般。

我们正挖马铃薯呢！菜园里，人们在收割最后一批蔬菜——卷心菜。我们的菜窖装满了过冬用的蔬菜。

我们还在原始森林里采集雪松的坚果。

小野兽们也跟我们人类一样，积极准备过冬的粮食。花鼠，就是那种细尾巴、背上有五条黑横纹的小鼠，它们把许多雪松的坚果拽到树墩底下收藏起来，还在我们的菜园里偷了不少葵花子，把它们的仓库填塞得满满当当的。

红松鼠在树枝上为自己晒蘑菇。它们正把淡蓝色的皮大衣换上，准备过冬。

森林里长尾巴的老鼠、短尾巴的田鼠和水貂都用各种各样的粮食装满了它们的仓库。

林中白斑乌鸦，就是星鸦，也正在搬运坚果，它们把这些坚果藏进树根底下和它们过冬时居住的树洞里头，预备在隆冬时节闹饥荒的日子食用。

熊给自己找定了一块地方做熊洞，它用锋利且有力的脚爪，一块一块地撕下云杉树皮来，做自己过冬的褥子。

大家都在准备过冬，个个都在辛苦地忙碌着。

◇◇◇◇◇◇◇◇◇◇◇◇◇◇◇◇◇◇◇◇◇◇◇◇◇◇◇◇◇◇◇◇

喂！喂！这里是乌克兰草原！

沿着被太阳烤焦的光溜溜的草原，许多活泼的小球在飞奔、在跃动。它们飞到人跟前来，把人包围起来，扑到人的脚背上来，却一点不让人感觉到疼，因为

它们落下时很轻很轻。原来它们根本不是什么球，而是一团团圆圆的枯茎，茎尖向外翘着。现在这些草团儿飞过了土坡和石丘，飞到远处去了。

这是风把一丛丛成熟的风滚草连根拔起，像推轮子那样推着它们跑，它们也就趁这个机会一路滚动一路播撒种子。热风在草原游荡的日子就快到头了。因为我们建起了护林带，它们已经站起来保卫农耕土地了。这些护林带将挽救我们的收成，不让收成被旱灾毁掉。

种种野禽和水禽汇集到草原湖的芦苇丛中，它们有的是本地的，有的则是过路的。在小峡谷里，在没有割过草的地方，拥集着一群群肥肥胖胖的小鹌鹑。这个季节里的草原上，兔子多得不得了——全是有着棕红色斑点的欧洲野兔。我们这里没有白兔。

狐狸和狼也很多——用枪打，放狗去咬，都很容易得手！

在市场上，街头到处都是西瓜、香瓜、苹果、梨、李子，多得堆成了山。

喂!喂!这里是沙漠!

我们这里洋溢着节日的喜气。这里正像春天那样生机蓬勃。

夏季令人难以忍受的酷热消退了,几乎天天下雨。空气清新而透明,远处的一切都可以看得异常清楚。

草又发绿了。

夏天为免受烈日烤晒而东躲西藏的动物,现在又四处可见了。

甲虫、蚂蚁、蜘蛛,都从底下爬了出来。

细尾细爪的黄鼠从深洞里钻出来;跳鼠拖着一根长长的尾巴,像小袋鼠那样跳跳蹦蹦。夏眠醒来的沙蟒正在猎捕它们。

不知从哪儿窜出来一些猫头鹰、草原狐、沙狐、沙漠猫。

体态轻盈的鹅喉羚和凸鼻子的赛加羚羊也来了,

它们在沙漠上疾奔如飞。

鸟儿也飞来了。

这里又像春天一样了,沙漠不再是沙漠。这里绿意葱茏,这里到处活跃着生命。

我们在沙漠里继续旅行。

几百、几千公顷的土地将要布上防护林带。护林带将保护田原,不叫田原受到沙漠热风的吹袭,而且更进一步,我们将要征服沙漠。

◆◆◆◆◆◆◆◆◆◆◆◆◆◆◆◆◆◆◆◆◆◆◆◆◆◆◆◆◆◆◆◆◆◆◆◆

喂!喂!这里是雅玛尔半岛苔原!

我们这里已经不见了夏日的热闹。夏天,半岛的岩石上什么鸟的叫声都有,杂乱一片。现在,这里听不见叽叽喳喳、唧唧啾啾的嚣嚷了。

身段小巧的鸣禽从我们这里飞走了。雁啊,野鸭啊,鸥鸟啊,乌鸦啊,都飞走了。一切都归于静寂。只

秋

偶或传来硬骨相撞那般的咚啎声——这是公鹿在那里斗角呢。

8月的时候,这里的早晨就冷起来了。现在哪儿的水都结上了冰。夏天来这里捕鱼的帆船和机船,随着冰封期的到来,都已经离开了。现在,笨重的破冰船在坚固的冰原上为船只开辟行进的通路。

白昼一天比一天短了。漫长的夜里只有一片浓黑和苦寒。还在空中飞动的,就只有白色的苍蝇了。

◇◇◇◇◇◇◇◇◇◇◇◇◇◇◇◇◇◇◇◇◇◇◇◇◇◇◇◇◇◇◇◇◇

喂!喂!这里是大海洋!

我们穿过北冰洋的漫漫冰原,经亚洲和美洲间的海峡通道,进入了太平洋。

更确切地说是进入了大海洋。这里,在白令海峡,我们常常可以遇到鲸鱼。接着,在鄂霍次克海,我们也能频繁地与鲸相遇。

想不到世界上竟有如此巨大的野生动物！你试想一下，它们的身躯有多大，有多重，它们的力气有多大吧！

我们看到一头鲸。这头鲸叫长须鲸，也就是鲱鲸。它被拖到一艘捕鲸大轮船的甲板上。这头鲸有21米长。如果把大象头尾相接放到它身上，可以放上6头大象呢！它的嘴大到能吞得下一条木船，连同划桨人一起。

它的器官，仅就它的心脏重量说，就达148公斤，抵得上两个成年人的体重，它的总重量有55吨！

这样大的鲸鱼，要是放在天平盘里称，你们就得做一架大而又大的天平，为了使天平两头的重量相等，另一端需站上男女老少共一千个人！或许，一千个人都还不够呢。而况，这头鲸还不一定是这片水域里最大的。

听说过吗，有一种蓝鲸，有33米长，100多吨重……

它们的力气之大，大到一头被带长索的镖叉叉中了的鲸能把船拖出去很远——拖上一天一夜；还可能发生更危险的情况，那就是：它潜进深海里去，轮船也一起被它拖进水里。

不过这种危险也只是发生在从前。现在事情大不一样了。我们很难相信，如此巨大的一座肉山，差不多在眨眼间就丧命在捕鲸人手上了。

不久以前，捕鲸人是从小船上投短镖枪——一种带长索的镖叉捕鲸。水手站在小船的船头，把鱼叉投到鲸鱼身上去。后来，捕鲸人开始从轮船上，用特制的炮打鲸，不过，炮筒里装的不是炮弹，而是带长索的镖叉。这只鲸也是被这样的镖叉击中的，只是让鲸鱼致命的不是铁叉，而是电流：原来在带索的镖叉上接有两根电线，电线的另一头通到船上的发电机。在带索镖叉似针一般刺进鲸体的一瞬间，电流就接通了，于是强大的电流就把鲸鱼给打死了。

这个庞然大物只是剧烈地颤动了一下，两分钟后就死了。

我们在白令海峡附近，看见了海狗；在铜岛附近看见了一些大海獭，它们正带着它们的孩子游玩。这些野生动物供给我们非常贵重的毛皮，所以，当年，日本

人和俄罗斯沙皇的强盗们就疯狂地捕杀，后来，政府不得不利用法律来保护这些动物，现在，我们这个海域里的海獭数量又开始猛增了。

在堪察加半岛的岸边。我们看见了一些巨大的北海狮，它们几乎有海象那么大。

但是，我们看过鲸鱼之后再来看这些野生动物，就觉得它们小了。

现在是秋天，鲸鱼都离开我们，到热带的温水里去生活了。它们将在那里生养小鲸。明年，鲸鱼妈妈们将要带上它们的小鲸鱼游到我们这里来，游到太平洋和北冰洋的海域里来。至于那些吃奶的小鲸，它们的个头，比两头水牛还要大呢。

在我们这里，小鲸鱼是不会被捕杀的。

（二）

储备冬粮月

林中动物为越冬加紧充实粮食库藏

十月。

落叶。

泥泞。

刚刚出现的薄冰，向大地预告着冬天的来临。

鸟兽都在为过冬紧张忙碌着。

风带着浓浓的寒气，把最后一批枯叶扯落。阴雨连绵，直下个不停。一只被秋雨打湿了羽毛的乌鸦蹲在篱笆上，孤凄、寂寞又无聊。它也快要动身了。在我们这里度夏的冠鸦已经悄悄飞向了南方。可同时，北方却又飞来了一批冠鸦——原来，乌鸦也是候鸟。在那遥远

森林报

的北方，冠鸦跟我们这里的白嘴鸦一样，是春天最先飞去，秋天最后一批飞离。

秋给森林脱下衣裳，这是它要做的第一项工作。它要做的第二项工作是让水一天天变凉、变冷。越来越多的早晨，可以看见水洼子蒙上了一层薄脆脆的冰。水里，也像空中一样，活跃的生命越来越少了。那些在夏天把水面点缀得鲜艳美丽的花儿，如今早已把自己的种子丢到了水底，把长长的花茎缩回到水下。鱼都游到水底的深坑里。深坑里不结冰，它们准备在那儿过冬。

拖着长尾巴的、整个身子都十分柔软的蝾螈，在池塘里住了一个夏天，这会儿从水里钻了出来，上了岸，在树根底下的青苔里找到了它们过冬的地方。

不流动的水都冻上了。

陆地上有些动物体内的血本来就是冷的，现在变得更冷了。甲虫、老鼠、蜘蛛、蜈蚣等等，都不知躲往哪儿去了。蛇爬到干燥的坑里，紧紧盘成一团，僵缩在地下。蛤蟆钻进了烂泥里；蜥蜴躲到树墩的脱落的树皮下，在那里开始冬眠了……

野兽嘛，有的穿上了暖和的皮外套，有的忙着把自己洞里的粮库装满，有的在为自己安排窝巢。

都在为过冬做准备呢……

户外总是带着寒气的阴雨天，这是播种的天气、落叶的天气、阴郁的天气、泥泞的天气、朔风凛冽的天气、冷雨浇泼的天气、秋风把地上的枯枝败叶卷扫一空的天气。

准备过冬

天气还不算太冷，但是可不能因为天气不太冷而任性游乐啊！随着寒气袭来，大地和水说冻也就会冻上哦。待一切都封冻了，你还上哪儿找食去啊？到哪儿藏身去啊？

森林里，每一种动物都各按各的习性准备过冬。

该走的走，能鼓动翅膀飞往他地避寒寻食的，都

走了;留下的,都为过冬而忙着备粮备荒,把仓库装得满满当当的。

短尾的田鼠,它们搬运粮食一等来劲。许多田鼠直接在禾草堆里或粮食垛下挖掘过冬的洞穴,天天不停地从农人那儿偷粮食。

每一个鼠洞都有五六个小过道,每一个过道通往一个洞口。地底下还有一间卧室和几个储粮窖。

冬天,野鼠要到天气最冷的时候才睡觉。因此,它们有的是时间囤积大批的粮食。有些野鼠,已经在洞里收集了四五公斤精选出来的谷粒。

这些小啮齿动物,是专门在庄稼地里活动的偷粮贼。所以,我们得要多多防备它们来损害我们的收成。

植物过冬

树木和多年生草类都在准备过冬。

一年生的草本植物都已经播下了它们的种子。但并不是所有的一年生草类都以种子形态过冬。有的种子已经发了芽,很多一年生的杂草在翻过土的院子里生长起来了。可以看到在荒凉的黑土地上生长着一簇一簇的嫩芽,其中有长着锯齿状小叶子的荠菜;还有和荨麻相似的、毛茸茸的紫红色野芝麻小叶子;还有纤细的同花母菊、三色堇、遏蓝菜,当然更有讨厌的繁缕。

这些小植物都准备度越隆冬,直活到明年秋天。

(尼·帕甫洛娃)

活的储藏室

寄生蜂为自己造了间奇妙的储藏室。它长有一对擅飞的翅膀,在向上卷曲的触角下生着一双敏锐的眼睛。一个细得惊人的腰,把它的胸部和腹部分成两截;在腹部的尾巴尖上,有一根缝衣针般的毒针,又细,又

长，又直。

夏天，寄生蜂找到一条肥硕的蝴蝶幼虫，扑上去，把尖针直刺进幼虫体内，在幼虫身上钻出个小孔眼来，接着就在那小孔里下个卵。

它留下卵，就自顾自地飞走了。幼虫很快就修补好寄生蜂刺出的小孔，恢复了常态，继续吃它的树叶。秋天来临时，幼虫结了茧，变成了蛹。

这时，在蝴蝶蛹里的寄生蜂幼虫，也从卵里孵出来了。在这坚固的茧里面，它感觉温暖又稳当。而蝴蝶幼虫的蛹，就成了寄生蜂幼虫的食物——这食物的量足可以供它吃一年。

又一个夏天到来的时候，茧打开了，然而飞出来的不是蝴蝶，却是一只身腰修长的、黑红黄三色间杂的寄生蜂。

寄生蜂用这个办法杀死了许多有害的昆虫。

夏日又重来？

刚才还寒风侵入肌骨，转而又艳阳高照，暖意融融，似乎夏天又重新回来了。

草丛中，金灿灿的蒲公英和报春花又探出头来。蝴蝶在空中翩跹；蚊子麇聚成柱状，在空中不停地来回旋动。

不知从哪儿飞来一只调皮的小鸟，一只袖珍的鹪鹩，它翘着尾巴唱起歌儿，唱得那么激情贯注，那么清脆嘹亮。

从高大的云杉上，传来还来不及飞走的柳莺的歌声，温柔、低沉而又忧伤，好像雨点打在秋水上那样："采——青——卡！采——青——卡！"

你甚至会忘记，冬天很快就要来了。

女妖的魔扫帚

现在,树都光溜溜的了,那些夏日隐在茂密枝叶间的秘密,如今都看得一清二楚了。瞧,远处,有一棵白桦树,它上头似乎做着许多白嘴鸦的窝。但走近一看,才能看清那根本不是什么鸟窝,而是一束束向四面八方伸展着的黑乎乎的树枝。老百姓管这叫作"女妖的魔扫帚"。

请回想一下,你们读过的任何一个关于女妖或魔女的童话吧!魔女骑着扫帚在天上飞,一路用扫帚扫去自己的痕迹。然后,女妖会骑着扫帚从烟囱里飞出来。不论是女妖还是魔女,都离不开魔扫帚。所以她们在几种不同的树木上涂了一层药,让它们长出一束束扫帚一般的怪模怪样的树枝来。讲童话的人,都是这么讲的。

当然,科学的说法不是这样的。那么,科学的说法是怎么样的呢?

事实上,树枝上这一束束细枝,是由一种病症引起的——树上有一种特别的芽螨或者一种特别的菌类。榛树树枝上的芽螨非常小、非常轻,风一吹,就把它们吹得满森林到处飞。芽螨落在一根树枝上,钻进一个芽里去,就在那里面住下来。正在发育的幼芽将来会长成一根嫩枝,就是长成带有叶子的茎。芽螨不去动枝和叶,只悄悄吃芽的汁液。它们一边咬伤芽,一边分泌病毒,芽就患病了。等到芽开始发育的时候,嫩枝以神奇的速度开始生长,比普通树枝的生长速度要快6倍。

病芽发育成一根短短的嫩枝,嫩枝又立即生出侧枝。芽螨的孩子们爬到侧枝上,使那些侧枝又生出侧枝。如此这般不断分枝,发疯似的分枝,于是在原来只有一个芽的地方,就生出一把奇形怪状的"女妖的魔扫帚"。

当一个寄生菌的胚进到芽里去,并在芽中发育的时候,也会发生同样的现象。

桦树、桤木、山毛榉、鹅耳枥、槭树、松树、云杉、冷杉和其他一些乔木、灌木,都可能长出"女妖的魔扫帚"。

动物园准备过冬

动物园里的鸟兽们，冬天有冬天的住宅。秋天天转冷时，就要把鸟兽从夏天的住宅搬进冬天的住宅。它们过冬的笼子里，火已经烧暖了。因此，搬进冬天笼子里的野兽，没有一只想要过漫长的冬眠生活。

动物园笼子里的鸟不能到越冬地去。一天之内，它们都被管理员从寒冷的地方搬到暖和的地方去了。

◇◇◇◇◇◇◇◇◇◇◇◇◇◇◇◇◇◇◇◇◇◇◇◇

没有螺旋桨的飞机

这几天，在我们的城市上空总盘旋着一些奇怪的飞机。

行人常常在街心站定,仰头张望,带着讶异的目光,注视天空中飞行的机群,看它们悠悠地兜圈子。

　　他们边看,边彼此交谈:

　　"看见了吗?……"

　　"看见了,看见了。"

　　"奇怪啊,怎么听不见螺旋桨的转动声呢?"

　　"或许是它们飞得太高了?你看,它们多么小啊!"

　　"即便飞低了,你也听不到有螺旋桨的声音呢。"

　　"为什么呢?"

　　"因为它们根本没有螺旋桨。"

　　"怎么会没有螺旋桨!难道说它们是一种新型飞机?那么,是什么型号的呢?"

　　"雕!"

　　"你在开玩笑吧!我们这个城市哪儿来的雕!"

　　"有这样一种雕——它们叫作金雕。它们现在正在迁飞,向南飞。"

　　"原来如此!哦,现在我也看清楚了,是鸟在盘旋。如果你不说,我还以为是飞机呢。太像飞机了——

就算扇一扇翅膀,也能让人看出不是飞机啊……"

◆◆◆◆◆◆◆◆◆◆◆◆◆◆◆◆◆◆◆◆◆◆◆◆◆◆◆◆

鳗鱼的最后一次旅行

秋天来到大地。秋天也潜到了水底。

水越来越冷了。

老鳗鱼出发去做它的最后一次旅行。

它们从涅瓦河动身,经过芬兰湾,再经过波罗的海和北海,游到水很深的大西洋里去过冬。

它们在涅瓦河里过了一生,游到大西洋后却不见有一条再游回来。它们都在深达几千米的大西洋洋底,找到了它们的葬身之地。

不过,它们并不是很快就死,而是要等延续完后代再死。在海洋深处,并不是我们想象的那样寒冷。那里的水温大概有 7 摄氏度。不久,老鳗鱼产出的鱼子在那里都将变成小鳗鱼。小鳗鱼像玻璃一样透明。几十亿

条小鳗鱼开始长途旅行。它们要旅行3年,3年后才能游进涅瓦河河口。

它们将在涅瓦河河口长大,长成大鳗鱼。

森林报

（三）
冬客临门月

森林在梦乡里听到了冬的前奏曲

十一月。

年的一只脚已经跨入了冬天。

十一月是九月的孙子，十月的儿子，十二月的兄长。

十一月，树林里尽是落光了叶子的树，像在大地上插满了大钉子；十二月的江湖都铺上了冰，像搭起了宽宽桥。十一月骑着有斑纹的马去巡游大地：地上不是雪就是烂泥，不是烂泥就是雪。十一月是一个挺有能耐的铁匠，他在自己不算宽敞的工场上打造枷锁，一副副的枷锁能把辽阔的俄罗斯全都铐起来。

秋天开始做第三件事——它去把森林还没脱光的那层衣服全剥落下来，给水戴上镣铐，又甩开雪被把大地蒙起来。这时，人在树林里走，会感觉很不舒服，树木黑沉沉的，光溜溜的，被雨水从头到脚淋了个透透湿。河上的冰亮晶晶的，可要是你伸腿儿踹它一脚，它就咔嚓嚓全裂开了，要是你立足不稳，那就得掉进去尝尝冷水的滋味。所有翻犁过的地都盖上了雪被，都不再生长了。

　　不过，再怎么说，现在还不是冬天，还只是冬天的前奏。几个阴天以后，又会出一天太阳。所有生物见到太阳出来，看它们那个高兴哟！放眼望去，这儿从树根下钻出一群群黑色的蚊虫，往天空飞去，那儿又从脚边开出一朵朵金黄色的蒲公英、款冬花，嗬，它们还都是春天的花哩……但是，树木已经进入酣眠状态，要没知没觉地睡一个长长的冬天，直到来年春天，它们才又会醒来。

　　看，伐木工人扛着锯进了森林——伐木的季节到了。

飞花

湿地成片成片的赤杨,将黑魆魆的枝丫伸向天空;树枝上没有一片树叶,地面上没有一根青草。一副苍凉的气象!太阳软塌塌的,很难从云层后面露出脸来。

让人意想不到的是,生长着桤木的湿地上,有许多快乐的花儿在阳光的照射下飞舞着。五彩缤纷的花儿大得出奇——有白生生的,有红艳艳的,有绿茵茵的,有金灿灿的。有的落在桤木树枝上,有的粘在桦树的白色树皮上,俨然是些彩色的光斑在闪闪烁烁,有的坠落在地上,有的在空中旋舞,绚烂的翅膀频频颤动。

它们用芦笛般美妙的乐音相互呼应着。它们从地面飞上树枝,从一棵树飞向另一棵树,从一片小树林飞进另一片小树林。

它们究竟是什么?

它们是从什么地方飞来的?

◇◇◇◇◇◇◇◇◇◇◇◇◇◇◇◇◇◇◇◇◇◇◇◇◇◇◇◇

北方飞来的鸟儿

这些小鸣禽,是我们随冬而来的客人。它们是从遥远的北方飞来的。它们中间,有些是红胸脯的白腰朱顶雀,有些是灰不溜丢的太平鸟——它们的翅膀上有五道红羽毛,像是向上撑开的五个手指,头上有一簇冠毛,有些是深红色的松雀,有些是绿色的母交嘴雀和红色的公交嘴雀。它们中间,有金绿色的黄雀,有黄羽毛的北极金翅雀,还有胖嘟嘟的红腹灰雀。我们本地的黄雀、金翅雀和灰雀,全飞集到较为暖和的南方去了。上面说到的这些鸟,都是在北方做窝的鸟:北方现在冷得它们受不了,倒觉得我们这儿还蛮温暖呢。

黄雀和朱顶雀靠吃桤木的子儿和白桦的子儿过日子。太平鸟和灰雀吃花楸果和其他浆果。交嘴雀吃松子

和云杉子儿。它们都吃得饱饱的。

◆◆◆◆◆◆◆◆◆◆◆◆◆◆◆◆◆◆◆◆◆◆◆

东方飞来的鸟儿

低矮的柳树丛林间，突然开出一朵朵的白玫瑰花儿。这些玫瑰花是美丽的小鸟。这些白玫瑰似的鸟儿，在柳树丛中飞来飞去，在树枝间不停地转悠，用它们细长的黑色钩爪，一会儿这儿扒扒，一会儿那儿抓抓。它们那花瓣儿一般的小白翅膀，在空中不住地扑扇着，翔舞着。它们边飞边啼，空中飘洒着它们轻柔的欢叫声。

这是山雀的一种，又叫灰蓝山雀。

它们不是从北方飞来的，而是从东方——从那寒风呼啸的西伯利亚冰雪地带，飞越乌拉尔连绵的群山，飞到我们这儿的。那里早已是冬天了，矮小的灌木统统都埋在深深的积雪里了。

你去问问熊吧

熊总把自己冬眠的住宅选在低洼地带,甚至就安置在沼泽地上,安置在繁茂的小云杉林里,以抵御冬季刺骨的寒风。但是,如果这年的冬天不是冷得特别厉害,常常间或出现融雪天,那么所有的熊都会毫无例外地把越冬的熊穴选在高地,或者丘坡上。这种现象是经过许多代猎人证实的。

这个道理不难明白。因为熊害怕融雪天。融雪天里,要是有一股融化的雪水流到它的肚皮底下,而后忽然天气又一冷,雪水就会迅速冻结起来,会把熊那层毛茸茸的皮外套给冻成铁板,那时情形就糟透了——它再也顾不上睡觉,只能跳起身来,满森林里奔窜,活动活动血脉,把身上弄暖和再说!

但是,如果冬天没有安静地躺下来睡觉,而是过多地活动身子,那就会把身上储藏着准备过冬的热量消耗尽了，那就不得不用吃东西的办法来补充热量、增加气力。但是冬天，熊在森林里可找不到任何充饥的东西。因此，如果它预见到这年冬天暖和，它就给自己挑选个高一些的地方做窝，免得融化的雪水打湿它的皮大衣。这个道理是很容易明白的。

然而，它又是根据什么来做判断，根据什么来预知这年冬天暖和还是严寒呢？它们为什么早在秋天就能十分准确地做出决断：该把过冬的窝做在沼泽地上，还是做在丘坡上？这我们还不知道。

请你钻进熊洞里去，问问熊吧！

◇◇◇◇◇◇◇◇◇◇◇◇◇◇◇◇◇◇◇◇◇◇◇◇

啄木鸟的打铁场

我们家菜园后面种有许多老山杨树和老白桦树，还有一棵很老很老的云杉。云杉上挂着数枚球果。一只大斑啄木鸟飞来，想吃这些球果。

啄木鸟落在树枝上,用长嘴啄下一个球果,接着顺树干往上一蹦一跳爬上去。它把球果塞进一条树缝里,开始用嘴啄它。它把球果里的子儿啄出来,然后就把空球果扔掉,再去采另一枚球果。它把第二枚球果照样塞在那条树缝里;又采了第三枚球果,还是塞在那个树缝里……啄木鸟就像这样一直忙活到天大亮。

(《森林报》通讯记者　列·库伯莱尔)

我们的主意比它们多

一场大雪过后,我们发现,老鼠在积雪底下挖了一条地道,直通到我们苗圃的小树跟前。瞧,老鼠有多狡猾!但是我们对付老鼠的办法也很多:我们把每棵小树周围的积雪都踩得硬硬实实,这样,老鼠就不能钻到小树跟前来了。有些老鼠钻到了积雪外面,但是它们经受不住严寒,很快就冻死了。

兔子也常到我们的果园里来,撕吃果树的树皮。我们也想出了对付的好办法:我们把所有的小树都用稻草和云杉树枝包裹起来,捆扎好,这样,兔子就只能干瞪眼了。

(季麻·布罗多夫)

（一）
银路初现月

森林开始熬冬，动植物开始越冬

十二月。

冰雪把大地封冻，冻成漫无际涯的冰板。

十二月结束一年，而冬季也从这个月开始。

现在没有水的事了。连汹涌的河流都被冰封住了。大地和森林都盖上了雪被。太阳躲到厚厚的云层后面去了。白昼一天比一天短，黑夜一天比一天长。

积雪下面掩埋着多少尸体啊！一年生植物按节气长起来了，开花了，结果了，然后枯败了——它们重新变成了供它们生长的泥土。一年生动物，那些无脊椎小动物，也都按时令过完了它们的一生，然后化为尘埃。

但是，植物留下了种子，动物产下了卵。到一定的时候，太阳将用热吻来唤醒它们，就像《睡美人》童话里所说的英俊王子那样。

太阳是无所不能的，它将从泥土里重新创造出生命物体来。那么，那些多年生的动物和植物呢，它们有办法保护自己的生命，平安地度越漫长的北方冬季，直到来年的春天又降临大地。不过你要知道，十二月的冬季，还没有完全显示出它的威猛和峻烈来！

太阳还会回到人间的。太阳回来时，生命又都将复活。

眼前，得先把冬季挺过去。

冬天的书

整个大地铺上一层又一层的皑皑白雪。

如今，田野和林间空地像一本摊开的大书的书页，平平展展的，没有一丝儿皱褶；那么洁莹，没有一个字。要是谁此时此刻在这上面走过,书页上就会写上"某某到此一游",告诉人们这行字是谁写下的。

白天下了一场雪。雪停时再看,写在雪地上的字不见了,地面又重新变成一面洁白的书页。

早晨,你来看看这雪地,你会发现洁白的书页上印满了各种各样神秘的符号,有一杠一杠儿的,有一点一点儿的,有逗号,有删节号。这说明,夜间,有各种各样的林间居民来过这里,它们在这里走动、蹦跳。

是谁到过这里?它们干了些什么事?

得在还没有再次下雪前分辨出这些符号,念完这些神秘的字符。不然,再来一场大雪,你眼前又会只是一面干净洁白的大纸,仿佛是谁来把书翻了一页。

谁怎么读

在冬天这本书上,每一个林中居民都签上了自己的名字，各有各的笔迹，各有各的字符。人只能用自己的眼睛来分辨这些笔迹。不用眼睛，还能用什么呢？

然而，动物跟人不一样，它们能用鼻子嗅。就拿狗为例吧，狗用鼻子闻闻冬天书页上的字，就会读到"这里有狼来过"，或者，"刚才一只兔子从这儿跑过"。

走兽的鼻子学问可大了。它们绝不会读错的。

谁用什么写

大多数走兽是用脚写字的。

有的用五个脚趾写，有的用四个脚趾写，有的用蹄壳子写。有时候，也有用尾巴写的，用鼻子写的，用肚皮写的，反正各种不同的动物用不同的东西来写。

鸟们也是用脚和尾巴来签写自己的名字的，也有的用自己的翅膀来签写。

狼的狡智

狼在森林里走动或小跑的时候,它的右后脚总是准准地踩在左前脚踏出的脚印里,左后脚总是细心地踩在右前脚踏出的脚印里。因此,在泥地上、在雪地上,它的脚印是单行的,是一条线的,仿佛有一条绳子绷在地上,而它是顺着一这条绳子走动或小跑的。

当你看着这样的一行脚印,你会这样解读:"有一只壮实的狼,打这里走过去了。"

果不其然,你错了。

对这行留在地面的脚印,你得这样读才对:"有五只狼打这儿走过去了。"走在头里的一只是聪明的母狼,后面跟着一只老公狼,尾随的是三只小狼。

它们走的时候,后面一只狼的脚总是不左不右、不前不后地踩在前面那只狼的脚印上,而且是非常准确而整齐的,让你看了决然不会想到这竟然会是五只狼的脚印。

一定得把你的眼练得尖锐些,这样才能在雪地上辨别出狼的动向,从而在银砌般的兽径上追踪它们。

◆◆◆◆◆◆◆◆◆◆◆◆◆◆◆◆◆◆◆◆◆◆◆◆◆◆◆◆◆◆◆◆◆◆

树木越冬记

严寒会把树冻死吗?

当然会的。

如果一棵树整个儿冻透了,连树心都结上了冰,那树自然就是冻死了。在俄罗斯,要是冬天特别冷,而且雪又下得少,那就会冻死不少树。自然,首先被冻死的是那些幼嫩的树。

好在树有对付冬寒的招数,它们有办法使寒气透不进身体里去,让自己的树心保持温度。要不然,所有的树都会冻死,冻得一棵不剩。

汲取营养,生长发育,传宗接代,所有这些都得消耗大量能量和热量。所以，树木整个夏天都在积蓄越冬需要的能量和热，冬天一到，它们就不再汲取营养，不再生长发育，不再把能量消耗在繁衍后代的工作上。

它们停止活动，沉入了睡眠状态。

树叶会呼出大量的热。所以，树木一旦感觉冬天来临，就会很快抛掉树叶！树木毫不犹豫地放弃树叶，就是为了把维持生命所不可或缺的热能，保存在自己的身体里面。再说，树枝上的树叶掉到地上，就开始腐烂，腐烂也会发热，保护娇嫩的树根，使之不被冻坏。

还有呢！树木越冬着实有它们的高招哩！每一棵树都有一副铠甲，以帮助活的植物肉质层抵御寒冷的侵袭。每年，整个夏天，树木都在它树干和树枝的皮层下储存木栓组织，那是一种僵死的间层。木栓不透水，也不透空气。空气滞留在它的气孔中，挡住树木活的机体中的热，让热量不散发掉。树的年龄越大，它的木栓层就越厚，因此，老树、粗树的抗寒能力就比干细枝嫩的小树强。

树木抵御寒冷不只靠铠甲。如果严寒终竟把这层铠甲也穿透了，那它会在植物的活肌肉中遇到一道可靠的化学防御线。冬季来到前，树会在树液里积蓄起各种盐类和淀粉变成的糖。盐类和糖的溶液，具有很强的抗寒能力。

但树木最后的防护寒冷的设备，是松软的雪被。大家都见过，细心的园丁们把小果树弯到地面，用雪把它们埋起来，这样，小果树就暖和多了。在多雪的冬天，白雪像一床厚厚的鸭绒被，把森林覆盖起来；树木只要有雪层保暖，就是再冷的天气，也不用害怕了。

不管严寒的冬天有多暴烈吧，它却也摧毁不了咱们北方的森林——摧毁不了！

咱们森林里的树木棵棵都是好样儿的，它们能抗住一切暴风雪的袭击。

这里载述的几件林中要闻,是我们的《森林报》通讯员从林兽走过的皑皑雪地上,在银砌般的兽径上看出来的。

◇◇◇◇◇◇◇◇◇◇◇◇◇◇◇◇◇◇◇◇◇◇◇◇◇◇◇◇◇◇◇◇

骇人的脚印

我们的《森林报》通讯员在树下发现了一串脚印。脚印这么长,长得简直让人一看就发怵。脚印本身倒是不大,也就跟狐狸脚印差不多吧。但是爪印那个长啊,那个直啊,就活像是铁钉。要是谁给这样的脚爪抓上一下,肚肠就准会被揪出来。

通讯员小心翼翼地顺着脚印走去。他们走到一个大洞跟前。洞口的雪地上散落着一些细毛。他们仔细研究了一番。细毛是直直的、硬硬的、有弹力的，毛的颜色是白的，尖端是黑的。这是人们用来做毛笔用的那种毛。

他们马上明白了，住在这洞里的，是獾——它是一种阴郁的动物，不过倒不是我们预感到的那样骇人。大概它是嫌洞里太阴冷，觉得洞外要暖和些，所以它出来走走，溜达溜达暖暖身子。

雪怎么爆了呢

我们的通讯员好久没揭开这个谜团：这雪地上的脚印究竟是谁留下的，曾发生过怎样一个事件。

起先看到的兽蹄印小而窄，步子稳稳当当的。这行字不难读懂：有一只母鹿在树林里走动，它丝毫没有意识到自己会顷刻间大祸临头。

突然，这些蹄印旁边出现了大脚爪的印迹，随即，母鹿的脚印就显出蹦跳、逃窜的样态。这也是不难读明白的：一只狼从密林里发现了母鹿，就向母鹿身上飞扑过去。

而母鹿一撒腿，闪身从狼身边逃走了。

再往前去，狼脚印离母鹿脚印越来越近，越来越近，狼逼近母鹿，眼看就追上母鹿了。

它们前头倒着一棵大树。

到了大树旁边，两种脚印就几乎不能分辨彼此了。看来，母鹿在危急关头纵身跳起，飞越过了大树干，狼紧接着也在它后面纵身跳起。

树干的那一面，有个深坑，坑里积雪被搅得乱七八糟，抛起的脏雪溅向四面八方，看着，就像是雪底下有个炸弹轰然爆开过。

这个炸坑旁边，分明可见母鹿的脚印和狼的脚印分别跑向了两边，而当中不知从哪里出现一种很大的脚印，很像是人的光脚板留下的印迹，只是它们显然不是人的脚印，因为脚印前头有可怕的、弯弯的利爪印痕。

这雪底下埋着颗什么样的炸弹？这可怕的新脚印

是谁的？狼和母鹿为什么要分开，往不同方向跑？这里发生了什么事件？

我们的通讯员苦苦思索，这究竟是怎么回事。

思索了好一阵子，终于，他们才好不容易弄明白这些带脚爪的大蹄印是谁的。想明白这一点，就一切都迎刃而解了。

母鹿凭借它轻捷如燕的细长腿，一跃就跳过了横在地上的树干，向前逃窜了。

随即，狼也在它后头跳起，不过没能越过树干，显然，它的身子太沉，扑通一声从树干上滑了下来，砸在雪地上，四只脚插进了熊洞里。

哦！原来，树干底下藏着一个熊洞！

熊正睡得昏昏沉沉的，上头忽然来了这么一个大惊吓，就一纵身跳了起来，于是雪啊，冰啊，枯枝啊，顿时向四方溅飞，就像是一枚炸弹爆开那样。

熊飞也似的向树林逃去——它以为有猎人朝它开枪了呢。

狼翻了一个跟斗，沉沉地跌进了雪里，猛见那么大一个胖家伙，就全然忘了再去追踪母鹿的事，自顾自逃命要紧了。

母鹿自然早已逃得没了影儿了。

国外消息

《森林报》编辑部收到一些国外消息,他们报道了从我们这里远飞他乡那些鸟儿的生活细节。

我们这儿出名的歌手夜莺,它们飞往非洲中部去过冬;云雀现在住在埃及;椋鸟分批到法兰西南部、意大利和英格兰旅行去了。

它们在那儿不像在家乡时那样终日歌唱。它们得为照料自己的吃和住而忙碌。不是有句古话吗?"做客好是好,哪有在家妙!"在那儿,它们不做窝,也不孵小鸟。它们一心等待春天的到来——到那时,它们就又可以飞回家乡,在家乡多自在啊,爱歌唱就唱歌,要孵雏鸟就孵雏鸟。

注意!注意!这里是《森林报》!

《森林报》编辑部向你们呼叫。

今天是冬至,是一年中白昼最短、黑夜最长的一天。我们通过无线电与天南海北进行联系。

苔原和沙漠,森林和草原,海洋和山峦,都请注意啦!

请你们讲讲,现在,隆冬时节,你们那里都在发生着些什么?

◇◇◇◇◇◇◇◇◇◇◇◇◇◇◇◇◇◇◇◇◇◇◇◇◇◇◇◇◇◇◇◇◇◇

喂!喂!这里是北冰洋极北群岛!

现在,我们这里正是黑夜最长的时候。太阳落到大洋里,离我们而去了,在春天到来前,太阳再也不会出来了。

洋面被坚冰覆盖。岛屿的苔原上也覆满了积雪。

谁还留在我们这里过冬呢?

在大洋底下生活着的,有海豹。趁冰还没冻坚实、还不厚的时候,海豹们在冰层中给自己开了个通气的窟窿,一有薄冰把这保持顺畅通气的窟窿堵住,它们就立即用嘴去重新打通。海豹从这些通气孔里吸入新鲜空气,有时也爬出冰洞,到冰上来憩息一会儿,睡上一觉。

在这样的时候,往往有公白熊神不知鬼不觉地向它们趋近。公白熊跟母白熊不一样,它们不冬眠,不用钻进冰窟窿里越冬。

积雪底下的苔原上,生活着短尾巴的旅鼠。旅鼠在雪层下挖出四通八达的路径,啃那些埋在雪层下的细草。通身雪白的北极狐就悄悄地来找它们,用鼻子追踪它们,把它们从雪层底下刨出来用以填充自己的肚子。

北极狐还能吃到在苔原上过冬的岩雷鸟。当这种苔原野禽钻在雪层底下睡觉，睡得昏昏沉沉的时候，嗅觉灵敏的小狐狸偷偷走过去，很容易一下就逮住了它。

除了这些鸟兽，我们这里冬天几乎就没有别的什么动物了。驯鹿原本是在这里生活的，但是冬天一来，它们也设法离开岛屿，从冰面上走到密林里去过冬。

这里昼夜没有太阳，总是黑黢黢的，我们要观察什么，真的能看见吗？

能！要知道，我们这里虽然没有太阳，却依旧是亮可见物。第一，一旦月亮出来，这里就皎皎如昼。第二，我们这里有北极光，时时在天际闪烁。

北极光变幻着各种颜色，神奇而幻丽，一会儿它像飘动的彩带，沿北极方向的天空展开；一会儿像瀑布似的，直从天际泻落下来，一会儿像柱子或像一把长剑那样，拔地而起。在北极光映照下的纯净雪原，迸射出耀眼的光芒。这时的岛屿，就亮得俨如白昼。

冷得难受吗？当然，冷极了，还刮风，时有暴风雪肆虐。暴风雪一旦袭来，我们的小屋子就给埋在积雪里了，困得我们一连六七天都没法儿往门外探探脑袋，不过，我们都很勇敢，我们年年向北冰洋北部深入探险。我们的探险队员已经在研究北极了。

喂！喂！这里是顿涅茨克草原！

我们这里也在下小雪。我们这里的冬天不长，下点小雪，我们不在乎。我们这里冷得不厉害，甚至不能让所有的河流都结上冰。

野鸭从各地的湖泊向这里聚会，就在我们这里落脚，不继续往南飞了。白嘴鸦从北方飞到这里，逗留在这里的各个村镇和城市里。它们在这里不愁找不到吃的，所以就会一直在这里住下去，住到三月中旬，才飞回家乡去。

飞到我们这里来过冬的，还有从遥远的苔原飞来的小客人：有雪鹀，有人叫它铁爪鹀；有角百灵，或者叫角云雀；有个头很大的雪鸮，通身雪白。雪鸮本来是夜间出来袭击动物的食肉猛禽，但是它在这里得白天出来猎食，不这样，它夏天在苔原上怎么生活呢——要知道，夏天的苔原是没有黑夜的啊。

喂！喂！这里是新西伯利亚大森林！

大森林里，雪越积越深了。猎人们踏上滑雪板，成群结队进大森林。他们拖着一辆辆轻型雪橇，上面放着食物和生活必需品。许多猎狗跑在前面，它们都是善猎的北极犬，尖尖的耳朵高耸着，蓬松的尾巴弯卷着。

大森林里有数不尽的淡蓝色灰鼠、珍贵的紫貂、毛茸茸的猞猁狲、兔子、块头硕大的驼鹿、金红色的黄鼠狼——最好的画笔就是用这种小兽的毛做成的，还有白鼬——从前，沙皇的皮斗篷就是用白鼬皮缝制的，现在人们用它的皮来做小娃娃的帽子。森林里还有火狐和金黄色玄狐，以及无数美味的榛鸡和松鸡。

熊老早就在的洞穴里酣睡了。

猎人们待在大森林里，一连几个月不出来。他们在大森林深处的小木屋里过夜。冬天的白天很短，所以他们和他们的北极犬整个白天都忙个不停。猎狗特别兴奋，它们到处窜，到处闻，到处瞅，寻找松鸡、灰鼠、黄鼠狼和驼鹿，或者睡得正香的熊。

猎人们从大森林里出来，雪橇上总是满载着猎物。

喂！喂！这里是卡拉库姆沙漠！

春天和秋天，沙漠并不荒凉，这里活跃着各种生命。而夏季和冬季，沙漠就一片死寂。

夏季的沙漠里，鸟兽都找不到食物，火辣辣的热；冬季的沙漠里也找不到吃的，冷得根本受不住。

一到冬天，禽鸟们就都飞走了，走兽们也都跑掉了，它们都纷纷离开这可怕的地方。这里是南方，明亮的太阳天天升起来，但是这覆盖着积雪的辽阔平原上，却没有飞禽走兽来欣赏这朗朗的晴天。阳光消融了积雪，但仍然没有动物来欣赏这旷野，因为雪下一样是硬邦邦的沙原。乌龟、蜥蜴、跳鼠等等都钻到深深地沙下冬眠，它们的整个身子都是僵硬的。

凶恶的风在无边的旷野里游荡，没有谁来阻拦它：冬天，这风，是沙漠的主人。

不过。这情形不会是永久的。人们正在用开渠挖沟的办法灌溉沙漠，在上面营造森林。将来的沙漠，即使在夏冬两季，也会依然充满生机。

喂！喂！这里是峰峦起伏的高加索！

我们这里，冬季里有冬和夏，夏季里有夏和冬。

就是在夏天，这里高峻的峰顶也仍是冰雪世界，像卡孜别克山和厄尔布尔士山那样直插云霄的、雄踞于群山之上的山巅，甚至夏天灼热的太阳也晒不化那里的积雪和冰岩。但是冬天的严寒也征服不了什么，我们这里有以群山作屏障的低谷和海滨，所以树木照样茂密，百花照样盛开。

冬天的寒冷，只能把臆羚、野山羊和野绵羊从山顶赶到山腰，然而也就到山腰为止了，再往下赶，冬就没有这力量了。

冬天，山上开始下雪，山下低谷地带却下的是暖雨。

我们刚刚在果园里采下橘子、橙子和柠檬等水果，准备拿去买。在我们的花园里，玫瑰还热热闹闹地开着，蜜蜂嗡嗡嗡地飞来飞去。在向阳的山坡上，第一批春花开放了。在这些春花中，有花瓣儿白、花蕊儿绿的雪绒花，也有黄澄澄的蒲公英。在我们这里，四季鲜花不断，母鸡整年下蛋。

冬天，我们这里的飞禽走兽眼看要找不上吃的东西了，可它们用不着远走高飞，用不着远离它们夏天生儿育女的地方，它们只需从山顶下到山腰，再不，就到山脚吧，到谷地吧，就能过上温饱的日子。

我们高加索收留了多少远来的翅羽客人啊！收留了多少为逃避北方严寒而过来难民啊！多少难民在我们高加索获得了温饱！

　　到这里来的，有苍头燕雀，有椋鸟，有云雀，有野鸭，有嘴巴长长的森林鹬鸟——丘鹬。

　　我们的国家就有这么大，当那一端北冰洋地带的人们因为寒风呼啸、冷侵肌骨而连门都出不了的时候，在另一端，在我们这里，出门连大衣都不用穿。这里的新年时节，白天阳光明媚，夜晚星斗满天。我们可以观赏高耸入云的群山，细如修眉的月牙悬挂在山顶上，挂在一碧如洗的晴空中。大海的波浪，在我们脚下轻轻地拍击着，更反衬了大海的静谧。

◇◇◇◇◇◇◇◇◇◇◇◇◇◇◇◇◇◇◇◇◇◇◇◇◇◇◇◇◇◇

喂！喂！这里是黑海！

　　这里的秋季多风。暴风一来，海浪滔天，疯狂地拍击着岩石，一天到晚就听见汹涌的大浪轰隆隆轰隆隆地吼叫声，看见怒涛哗啦啦冲向高空，然后在岸边卷起千堆白雪。而在冬天，大风就很少来袭扰我们了。今天，黑海的微波轻轻拍打着海岸，这温柔的微波荡得沙滩上的鹅卵石滚动，发出朦胧的催眠声。幽暗的水面上，倒映着一弯银镰般的新月。

在黑海，没有完全意义上的冬天。到冬天，只是海水变得稍微凉一些，还有，就是北海岸一带，短时期内会结上薄冰。我们的大海，一年四季都有鸟兽在这里狂欢，快乐的海豚在海浪里嬉戏，黑鸬鹚在水里钻进钻出，白色的海鸥在海面上下翻飞。海面上终年都有大汽船和轮船穿梭来往，有摩托艇贴着海面飞驶，有轻便的帆船在海面滑行。

各种各样的鸟都飞到这里来过冬。它们有潜鸟，有潜鸭，有浅红色的胖鹈鹕——鹈鹕嘴巴下面垂挂的肉袋能装下好多鱼呢。

在我们这里，冬天也像夏天一样富有生气，一点也不寂寞。

（二）

饥饿难耐月

隆冬森林里有一个顽强的生命舞台

　　一月，新的一年从隆冬开始。一月是冬向春转折的月份。

　　新年一开始，白昼就像兔子向前跳跃那样，一天比一天长了。

　　大地、水和森林，一切都被雪覆盖住了，一切都像是进入了长眠，沉浸在酣睡中。

　　为了度过艰难的时期，生命使出了一种本领，那就是佯装死亡。花草树木都停止发育，停止生长了，乍一看是死了，其实并没有死。

　　花草树木在积雪的覆盖下依然蕴藏着顽强的生命

力，蕴藏着生长和开花的能量。松树和云杉把它们的种子紧紧攥在小拳头般的球果里，以此来保存它们繁衍的机能。

冷血动物都躲藏到地下去了，它们都僵住不动了。但是，它们也都还活着，甚至像蛾子这样弱小的动物也没有死，它们只是钻到各种各样的隐蔽所里去了。

鸟类的血液特别耐寒，它们无须冬眠。许多动物，就像小小的老鼠，也不需要冬眠，它们整个冬天都在森林里跑。不可思议的事还有很多——那些睡在厚厚雪层下熊洞里的母熊，竟在一月的寒冬里产下了一窝窝小熊，它们虽然自己整个冬天都不吃不喝，却仍有奶水喂养自己的小熊，一直喂养到开春。

冷啊,真冷!

冰冷的风在旷野游荡,在光秃秃的白桦和山杨树林里奔逐。冷风钻进禽鸟的羽毛,把它们的血都吹凉了。

没有一处不是雪,没有一处不是冰,它们的小脚爪冻得受不了了。它们不能蹲在地上,也不能蹲在树枝上,它们得跑着、跳着、飞着,用这样的法子来取暖。

那些秋天就在仓库里贮满了食物的动物,冬天一来,便躲到自己暖和、舒适的洞穴或窝里。它们的日子好过着呢,它们可以吃得饱饱的,然后把身子紧紧蜷缩成一团,蒙头睡自己的大觉。

肚子饱，不怕冷

飞禽是这样，走兽也是这样，只要肚子饱着，就不怕冷！一顿饱餐后，食物会使它们的身体内部产生热量，使本来就热的血液变得更热，一股暖意在全身流窜，向全身发散。皮下的一层脂肪，是暖和的毛皮或羽毛大衣最好的一层里子。寒气就算是能透过羽毛，钻进毛皮，也绝对穿不过皮下那层大衣里子似的脂肪。

如果林中食物充足，那么冬天就不可怕，但问题是，冬天能到哪儿去找食物啊？

狼和狐狸满林子游走，饥肠辘辘地寻找食物。然而，冬天的森林里空荡荡的，小兽和飞禽早就藏的藏，飞的飞了。

白天，乌鸦到处飞；夜晚，雕鸮到处飞。它们在寻找食物，可是哪儿有呢！

饿啊，冬天的森林里，大家都饿得慌！

芽在哪里过冬

现在，一切植物都处在休眠状态中。但是，它们都已经为春天的到来做好了准备，它们在为春天的到来发着芽。

那么，这些芽都在哪里过冬呢？

树木的芽，在离地面很远的高处过冬。而草芽都各有各的过冬办法。

比如，森林里有一种叫繁缕的植物，它的芽是在枯茎的叶脉里过冬。繁缕的叶子秋天时就枯黄了，整棵植物看上去好像是死了，但它的芽其实还活着，颜色是绿的。

而蝶须、卷耳、筋骨草之类的草，它们都很矮小，它们的芽保全在积雪下，没有受伤或受损。它们浑身绿茵茵的，准备迎接春天。

这些小草的芽虽然离地不太高，但都是在地上过冬。而有些草的过冬方法则不同——它们的芽在地面和地下。

去年的蒿草、旋花、广布野豌豆、金莲花和驴蹄草,一到冬天就只能在地上见到它们半腐烂的茎和叶。如果要找它们的芽,得从近旁的地面找。

草莓、蒲公英、三叶草、酸模、蓍(shī)草等,这些植物的芽也在地面上过冬。不过,这些芽被绿色的叶簇包裹着,它们也准备好了,一旦春天到来,就从雪底下露出碧绿的容颜。

还有一些草,把芽保存在地底下。银莲花、铃兰、舞鹤草、柳穿鱼、柳兰、款冬等的芽,在根状茎上过冬;熊蒜、顶冰花等的芽在鳞茎上过冬;紫堇的芽在小块茎上过冬。

生长在陆地上的植物的芽,过冬办法大概就是上面说的这些。而那些水生植物的芽,是埋在池底或湖底的淤泥里过冬的。

(尼·帕甫洛娃)

熊找到了最适合过冬的地方

深秋时节一到,熊就会在长满云杉的小山坡上选一块好地方,准备过冬。它用锋利的脚爪扒下长条形的云杉皮,叼到小山上的一个坑洞里,接着铺上柔软的苔藓。随后,它又去把坑洞周围的一些小云杉啃倒,让这些小云杉像个小棚子那样把坑洞严实地盖起来。最后,自己钻进去,就安安稳稳地在里头酣睡了。

但不到一个月,它的洞就被猎人找到了。它好不容易才从猎人手中逃脱,逃走后只能躺倒在雪地上某一隐蔽处将就着睡了。但它躲藏的地方又被猎人发现了,它又从猎人的枪口下九死一生地逃跑了。

它又第三次藏了起来。这回,它藏的地方可好了,没有谁会想到它躲在那里。到春天,人们才发现,它在高高的树上睡过了一冬。

这棵树的树干以前准是被狂暴的大风刮折了,后来这树就倒着生长,形成了一个坑窝。夏天,大雕把枯树枝、草和苔藓叼到这里来,铺在里面。待孵出小鸟,雕就飞走了，这个坑窝就废弃在这里了。冬天，这只不能在自己的洞穴里安身的熊，受惊后竟找到了这里，找到这个空中的坑窝里来了。

野鼠搬出了森林

森林里有许多野鼠，漫长的冬天使它们缺粮了，它们在自己的粮仓里已经找不到食物了，又有白鼬、伶鼬（língyòu）、鸡貂和其他食肉动物来追猎它们，于是它们就逃出了自己的洞穴，逃出了森林。这时，大地和森林都被冰雪封冻着，成群的野鼠没有东西吃。于是，森林外的人类的谷仓就有遭劫的危险了，人们得随时防备着它们来打劫啊。

不错，是有伶鼬跟在野鼠后面追猎它们。但是，伶鼬数量太少，它们捉不完野鼠，也消灭不了所有的野鼠。

快保护好粮食，别让啮齿动物来打劫！

（三）
忍受残冬月

饥禽饿兽熬出残冬迎来温饱的春天

二月。

狂暴的寒风呜呜吹卷着雪尘，在二月里奔窜，却不留下一个足迹。二月是许多虫豸和野兽冬眠的月份。

这是冬季的最后一个月，是冬季最难熬最难受的一个月。可以毫不夸张地把这个月叫作忍受残冬月。这个月里，公狼母狼成了亲，所以，为了传宗接代的需要，狼们频频偷袭村镇的牲口，把狗啊，羊啊，都拖去充塞它们的肚腹；在饥饿的驱使下，它们天天夜里都钻进羊圈里去劫猎。

所有的野兽都在这个月份里日见消瘦。秋天养起来的肥膘，这时已再不能给它们以热量，不能在给它们以营养了。

小野兽的洞里，底下仓库的存粮也差不多吃完了。

雪对许多野兽来说，本来是可以帮助保温的朋友，但是现在，对于许多野兽来说，雪却愈益变成催命的敌人：树枝耐不住积雪的重量，纷纷折断了。只有野生的鸡类，譬如山鹑呀，榛鸡呀，琴鸡呀，它们倒还喜欢深雪，它们连头带尾，整个身子钻进深雪里去过夜。它们在那里感觉很舒服哩。

而不幸也恰恰在这时发生了——白天要是有太阳，雪就会消融，到夜间酷冷的寒气袭来，很快雪面上就结起一层冰壳。这样一来，野生鸡类就倒霉了，任你怎么拿脑袋去撞击冰壳，也休想钻出来，它们要被闷在雪层下，直闷到太阳出来，把坚硬的冰壳融化！

暴风雪连日连夜地吹，把二月走雪橇的大路统统都埋进了积雪里……

它们丧生在严寒中

冷,已经让许多禽兽受不了了,还刮大风,这就简直是要命了!

每逢这样恶劣的寒冷过后,你总能在雪地上看见一幅触目惊心的惨象:这里,那里,东一个,西一个,星罗着在寒冷中倒毙的飞禽走兽和昆虫。

这是因为风把树桩和倒在地面上的树干下的积雪扫了出来——那里面不是躲藏着许多甲虫、蜘蛛、蜗牛、蚯蚓和避寒小兽吗?狂风把裹盖在它们身上的、暖和的雪被揭走后,它们也就冻死在冰冷的寒风里了。

鸟飞着飞着,就被暴风雪卷走,死了。乌鸦本是抵抗力多么强劲的鸟啊,却也耐不住长时间的暴风雪吹刮,冻死在了雪地上。

猛禽和猛兽正在森林里四处逡巡。它们是森林里的卫生员。等风雪稍一平缓，它们就立即出动去打扫，将暴风雪中冻死的尸体一具具收拾掉，把森林拾掇得干干净净。

◇◇◇◇◇◇◇◇◇◇◇◇◇◇◇◇◇◇◇◇◇◇◇◇◇◇◇◇◇

等不及了

天气稍微转暖，雪开始融化，森林的雪底下马上就会爬出各种各样等不及要出来的虫子：蚯蚓、潮虫、蜘蛛、瓢虫，还有叶蜂的幼虫。

只要哪个僻静的角落里现出一块没有雪的地方——这种事是经常会发生的，比如大风卷走了地上枯木下的积雪，那么，那些大大小小的虫子就在那些没有雪的地方游走、散步、透气。

昆虫是出来活动麻木的腿脚的，而蜘蛛则是出来猎食的。没有翅膀的小蚊子光着脚丫在雪地上跑跑又跳跳。有翅膀的舞虻在空中打旋。

只要寒气一袭来,游园活动就立刻结束,这群大大小小的虫子,有的很快钻进枯枝败叶里去,有的钻到枯草丛中去,也有的钻入泥土里边。

◇◇◇◇◇◇◇◇◇◇◇◇◇◇◇◇◇◇◇◇◇◇◇◇◇◇◇

在冰盖下

我们来想想隆冬时节,鱼是怎么生活的吧。

整个冬天,鱼都在河底凹坑里躺着睡觉,结实的坚冰屋顶,覆盖在它们头上。在二月里,在隆冬时节,在池塘里和林中沼泽里休眠的它们,会感到空气不够用了。这样的时间长了,它们就会闷死在水底。它们心慌意乱地张开圆嘴,游到冰屋顶下来,用嘴唇捕捉附着在冰上的小气泡。

鱼有可能全都闷死。所以,天寒地冻的日子里,咱们可别忘了在池塘和湖面上凿开些冰窟窿。还要注意,别叫冰窟窿再冻上,好让鱼能够呼吸到空气。

春天来临的征兆

　　虽然天气仍冷得厉害,但是已经不像在隆冬时节那样了。虽然积雪依旧很深,但已经不像从前那样白得发亮了。近来,积雪的颜色变得灰暗了些。不再像以前那样晶晶亮了,雪地上开始出现蜂窝般的小洞眼。挂在屋檐下的冰凌却一天天变粗了、变大了。冰柱子上滴下水来,地上就出现了一个个的小水洼。

　　太阳在天空的时间越来越长,阳光也越来越温得人有舒服的感觉了。天空也不再是像一大块化不开的冰,不再是一片灰白冷峻的冬季颜色。天空的蔚蓝色一天深似一天。天上的云已不再是灰蒙蒙的冬季云了,它们开始一层一层地加厚,如果你留点儿神,那么你还会发现天上飘过的已经是堆得敦敦实实的积云。

　　太阳一出来,窗下就传来快乐的山雀的歌声:"斯肯,舒巴克!斯肯,舒巴克!"

每到这时节，猫就天天晚上在屋顶开音乐会、打架，呜哇呜哇，喵呜喵呜，没完没了。

森林里，说不定什么时候，会忽然传来阵阵啄木鸟发出的击鼓声。你别以为，它只不过用嘴壳敲敲树干而已，可咚咚咚，咚咚，咚咚咚咚，听起来就不折不扣是一支歌！

在密林里，云杉和松树下面，不知是谁来这里画了一些神秘莫测的符号，一些谁也猜不透意思的图案。可猎人来一看，这些符号和图案就会让他的心骤然狂跳起来：这些符号和图案是森林里一种有胡子的大公鸡——松鸡留下的痕迹，它那硬挺挺的强有力翅羽，在坚实的春季冰壳上划拉了几下，留下了这奇怪的印迹！这么说……这么说，松鸡马上就要开始交尾了，神秘的林间音乐会很快就将拉开帷幕了。

飞回故乡

《森林报》编辑部收到许多喜人的消息。从埃及、地中海沿岸、伊朗、印度、法国、英国、德国,人们都纷纷寄信来了。信中说,我们的候鸟已经动身,开始陆续返回故乡了。

这些返乡的鸟,有节奏地、从容不迫地飞着,一寸一寸地占领从冰雪下解放出来的大地和水面。它们得估量好,要恰好在我们这儿冰雪消融的时候,在江河解除封冻的时候,飞回到我们这里。

第一声歌唱

天气还冷,但阳光已经有些许煦暖的感觉。就在这一天,城里的花园里传来第一声鸟儿的歌唱。

那是大山雀在唱。它的歌喉里没有花腔:

"茌——瑟——维!茌——瑟——维!"

歌声就这么简单,但它唱得这样欢快,听起来,仿佛是这种金色胸脯的小鸟想用它的歌声对大家说:

"脱掉大衣!脱掉大衣!春天到了!"